JUMP COMICS

DRAGON BALL

ドラゴンボール

巻十三　孫悟空の逆襲!?

鳥山 明

登場人物紹介

とうじょう じんぶつ しょうかい

ブルマ

ランチ

ヤムチャ

孫悟空
そんごくう

クリリン

ピッコロ大魔王

天津飯　餃子

亀仙人（武天老師）

ヤジロベー

前巻までのあらすじ

むかしむかしのこと。七つそろうと神龍が現れ願いをかなえてくれるという不思議なドラゴンボールを捜して旅に出た孫悟空は、大冒険のすえ、すべての球を集める。が、悪人ピラフに悪用されそうになったため、つまらない願いを先にかなえてもらう。

神龍は一度願いをかなえると一年以上現れない。その間、亀仙人の下で修業をつんだ悟空は、再び球捜しの旅に出る。途中知りあったウパの父親を神龍の力で生きかえらせた悟空は、さらに修業を重ね、3年後の天下一武道会で準優勝を飾る。が、喜びもつかの間、親友クリリンをピッコロ大魔王に殺されてしまう。怒った悟空は、ピッコロに挑むが…!!

DRAGON BALL 13

孫悟空の逆襲!?

もくじだっ……ふはははっ!!!!!

其之百四十五	武天老師の決心	7
其之百四十六	亀仙人 最後の魔封波!!	22
其之百四十七	若がえるか!? ピッコロ大魔王	36
其之百四十八	カリン様に会え!!	50
其之百四十九	世界征服	64
其之百五十	カリン様もなやむ	79
其之百五十一	超神水!!!	94
其之百五十二	孫悟空 ついに発進!!!!	108
其之百五十三	天津飯の決意!!	122
其之百五十四	天津飯の誤算	135
其之百五十五	孫悟空の逆襲	150
其之百五十六	怒る!!	165
扉ページ大特集XII		181

ドラゴンボール

其之百四十五
武天老師の決心

むこうの5個も
こっちに
むかって
おりますぞっ!!

ピッ

ピッ

……
ふっふっふ
なにものかしらんが
みのほどしらずな
やつめ…

もっとも
まさか
この
2個を
もっているのが
ピッコロ大魔王さまだとは
しるすべ
もないだろうがな

8

きておる!!
こっちに
むかってきて
おるぞ!!

よいな!
闘っても
勝ちめは
ないぞよ

スキをついて
むこうの2個を
うばい
こっちの5個と
あわせて神龍を
よびだすのじゃぞ!

「ピッコロ
大魔王たちを
この世から
消し去って
ください！」
と…

わかり
ました…
……

どっちだ？

え……と
もうちょい
左だな

なあ
あいつのこと
しってんのか？

どうでも
いいけどよ
2度とあの
ピッコロ大魔王ってのには
手をださねえことだな
あいてが
悪すぎるぜ

いいだろ！
かっぱらったんだ

ヤジロベー
いいクルマ
もってんな

その昔に
世界じゅうを
支配しようと
あばれまわってた
らしいんだが…
なんとかっていう武道家が
くいとめたらしいぜ

オレもよ
昔話で
きいたことが
あるだけだけどよ
とにかく
めっちゃくちゃに
おっそろしい
悪でさ

すげえな！
あんなやつ
どうやって
たおしたんだ
！？

そんなこと
オレが
しるわけ
ねえだろ

10

ほんとだって

どんな願いも？うそつけ！

そういやあのとられちまったドラゴンボールっての7つぜんぶあつめるとどうなるんだっけ？

神龍っていうドラゴンができてどんな願いもひとつだけかなえてくれるんだ

あもうちょっと左だ

だとしたらあのやろうあんなに強いくせにどんな願いがあるってんだろうな

若さだ‼

グッ

わしの若さがもうすぐそこに手のとどくところにきているのだ‼

グオオ‥‥‥ン

ふあっははっははっ‼

飛行機を
カプセルに
もどすんじゃ

わかりました

よし！
このあたりが
いいぞい
おりよう

どうするん
ですか？

ボンッ

つぁっ！！！

そ
そうか

こうすれば
すぐには
みつからんじゃろ
時間を
かせげる…

バラバラ

ぱん
ぱん

この穴に
ドラゴンボール
をうめて
かくすのじゃ

う
うんっ！

12

よくきけ！
あの岩かげにかくれているのじゃ
わしと天津飯はピッコロがボールをさがしておるスキにやつのボールをうばう！

餃子はその岩かげにかくれているのじゃ

そのうばった2個のボールをわたすからなうけとったらすぐにこのうめてある5個とあわせて神龍をだすのじゃ！

「出でよドラゴン」となそして願いをすばやくいうんじゃ

なるほど…

わわかった！

よしっ!!
そろそろやってくるぞい!!

それいっ!!

かまわん
そのままやつの
上空まで
いけ！

くくく……
待ちぶせを
するつもり
だな…

あっ！
むこうのやつ
あの位置で
とまりましたよ！

空たっ！！やつら
！！！飛行船ですよっ

空か！！

グォオオ……ン

ん
！！

くるぞ
！！

14

ピッコロ
大魔王さま

つきました!!
ドラゴンボール
反応の
ま上です!!

よし

いただいて
くるか

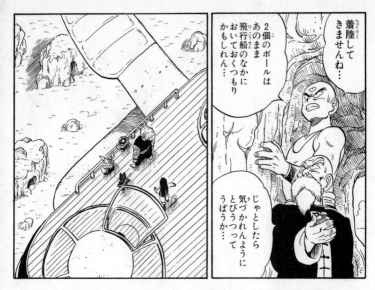

着陸して
きませんね…

2個のボールは
あのまま
飛行船のなかに
おいておくつもり
かもしれん…

じゃとしたら
気づかれんように
とびうつって
うばおうか…

かくれて
おるな…

みたところ
なにも
いないみたい
だけど…

むこうも
とうぜん
こっちの
2個を
ねらってくる

このわしが
もっていたほうが
安心なようだな

16

ゴクン

…ふっふっふ

パク…

そっ それではあやつをたおさんかぎりボールは手にはいらんぞ…!!

くっくそっかんがえたな………!!

あ あれがピッコロ大魔王か…!!

ドドラゴンボールをのみこんだ…!!

なっなんじゃと!!

おぬしはひっこんでおれ…このわしがなんとかする…

ありませんよ

闘うしか

わしは死には せんよ

不老不死の水をのんでおるからのう…

うっ!!

シューーッ

じょうだんじゃ
ないっ!!

それじゃあ
オレは　なにしに
きたのか
わからんじゃ
ないですかっ!!

闘いますよ
オレは!!

…な…

…なに
…を…

ドサ…

すまんが
ねむってて
くれ

ムダな
死人は
これいじょう
ふやしとう
ないからの…

ズズ…

不老不死の水など
ありゃせんよ…
うそじゃ…

もし…
わしが死んだら
悟空も　おらん今
大魔王を　たおすのは
おぬししか
おらんじゃろ…

じゃが　今のおぬしでは
まだまだムリ…
さらに修業をつみ
いつの日かきっと
たおしてくれい…

18

餃子きこえるか!!

例の作戦はもう　なしじゃ！なにがあっても手をださずかくれておれ!!よいな!!

うんっ！

わかった

みんなによろしくの……

……………

お!?

でてきたぞ!!

おりてこいピッコロ!!!

ドラゴンボールはここじゃ!!!

ほう…
わしだと
いうことを
しっておったか
よく
わかったな
……

しかし
ピッコロ大魔王だと
しっておりながら
闘いを いどんで
くるとは アタマが
いいとは いえんな…

勇気だけは
みとめて
やるがな

タッ

ヒュ

ふっ！

わしが あつめた ドラゴンボールは ここに うめてある！

わしを たおすことが できたら えんりょなく もっていってやる！！ くれてやる！

ねむらんぞね、

今のうちに笑っておけ…

おもしろいジジイだ！！

は────っ！！はっはっは！！

はっはっは…！
どうやらきさま
本気で
この大魔王さまに
闘いを挑む
つもりのようだな

身のほどしらず
めとは…
いっても
うわさ話でしか
オレさまのことを
しらんだろうから
ムリもないがな

きさまと
あうのは
これが
はじめてでは
ない

はっはっ
はっはっは
！

バカなやつだ
このこと
できてきて
ピッコロ大魔王
さまと
決闘するつもり
らしいぞ！

でたらめを
いいおって

くっくっ
く……！

22

でたらめ
などでは
ありゃせん

その昔
わしは
師匠とともに
きさまと
闘った……

師匠の名を
おしえて
やろうか…

！？なんだと

武泰斗様じゃ！

さっ
カチッ

な…!!
なに!?

ポイッ

BOM!!

でっ
電子（でんし）
ジャー!!!

まさか
…………!!

ま…
まま…
魔

しっ…死ぬ気だ…!!!
やはり亀仙人さまは魔封波をしっていた…!!
魔封波だ…!!魔封波をやるつもりだ…!!

むろんおぼえておるじゃろ!!

その昔武泰斗様がきさまを電子ジャーに封じこめ魔の手から世界を救った術……!!!

どうしたんだ？
ま…まさか…まさか…!!

お…おいようすがへんだぞ

…あ…あ…!!

魔封波じゃっ!!!!

わーっ!!!!

はああーっ!!!!

ドゴーーン

は……

……はずれた……!!

30

し…
しまった
…

と…とんだ
ドジを…
お…おしい
…のう…

ハアッ

ハアッ

じゃ…じゃが…
こ…これで…
安心できると
おもうたら
お…おおまちがい
じゃぞ…

い…いつか
かならず だれかが…
きさまを たおし
世界を 救うてくれると
しんじて……お……
……

ド サ…

る…
…

…
…!!

はは…
ははは…

は…

トュウウ————…ン

……
……
……

なんだよ
どうかしたか!?
いたむのかよ!

は
!!

おめえ
どっかえ
うちどころが
わるかったん
だよ

ほんとに
ヘンなヤツ
だぜ…

……
……
わからねえ

な
なにかが

死におったぞ
バカめ
——っ!!!!

死におった
——

は
——っはっ
はっは!!
死におった
!!!

やった
やった!!
ははは!!

よ
よかった
──
──!!

それにしても
あやういところ
だった…!

まさか
魔封波を
つかえる やつが
おったとはな!

だが そいつも
死んだ!!

これで
わしは もう
こわいものなしだ!!

わーっはっ
はっは!!

しかも
……

DRAGON BALL 13

ゲロッ

トン…

これで7個すべてのドラゴンボールがそろった!!

いよいよ若き日のすばらしい力（パワー）がよみがえるのだ!!

がーっはっはっはっはっはっはっは…!!!

……ぐぅ……!

35　次は、其之百四十七　若がえるか!?　ピッコロ大魔王

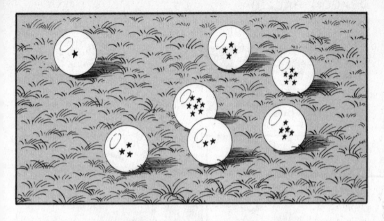

これで7個すべてのドラゴンボールがそろった!!

いよいよ若き日のすばらしい力がよみがえるのだ!!

がーーっはっはっはっは!!

やった!!ついにそろったぞ!!

バンザーイ!!

や…やつの目的は若さだったか…！

そ…そうか…！

！

さあ——でてこい
神龍とやらよ‼

あっ

きゅうに暗くなった！

いよいよ
神龍が
でるぞっ

こっ これで
ピッコロ大魔王さまは
まさに天下無敵っ!!

い…かん…!!
や…やつを
若がえらせたら
ますます
手がつけられなく
なってしまう…!!

こ…
この世は
もう
おしまい
だ…!!

DRAGON BALL 13

でた!!

ギュオォォォォ

39

す…

……すばらしい……!!

ポカーン

て天さん!?

あ!!

餃子きこえるかっ!!

い…いいか　よく…きけ！オレは武天老師さまに妙な薬をかがされ…い…意識がもうろうとしている…

た…たのむ!!あ…あいつが願いをいうまえにおまえが願いをいうんだ…

では
いうぞ

この
わたしに…

ピッコロ
大魔王を

この世
から

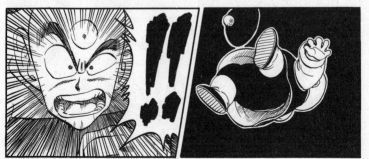

チャ・・・
チャオズ
餃子・・・

ち・・・
ちくしょう
ちくしょう
・・・!!!

ふう・・・

なかまが
いたとはな・・・
あぶないところ
だった・・・

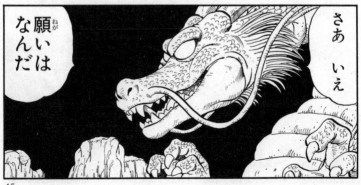

願いは
なんだ

さあ
いえ

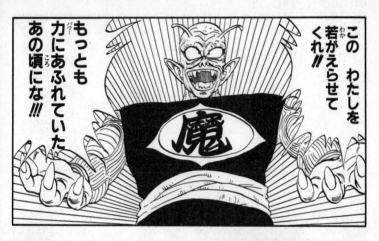

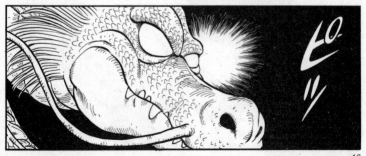

46

お
…
お
…

お
お
!!!

48

なんだってんだ
とつぜん
まっくらに
なっちまったぜ！

‥‥‥‥‥‥！！

3年ぐらい
まえにも
こんなことが
あったな…

‥‥‥‥

神龍だ

あいつが
神龍を
だしたんだ…！！

神龍…って
あっ！
あの玉を7つ
あつめると
でるってやつか！

みえたぞ
カリン塔だ！！

次は、其之百四十八　カリン様に会え！！

50

トソ・・・・

わっはっはっは！！
ただの石コロに
なりおった！！

神龍（シェンロン）は死んだ！！
これで
もう
このピッコロさまの命（いのち）を
おびやかすことは
できんぞ！！

ガク・・・・

そ・・・・・

そんな
そんな・・・

がっはっは！！！
最高（さいこう）だ！！！
最高（さいこう）の気分（きぶん）
だ！！！

ドラゴンボール
反応が
なくなった！

やっぱり
あいつが神龍を
だしてたんだ…！

おい！
また
あかるく
なったぞ！

あ…あんなに
すげえやつが
どんな願いを
したんだろう…

シュウウ……！

ついたぜ！
ここだろ？

56

父上
父上ーーっ!!

悟空さんだよ!!
悟空さんが
きてくれたよーっ!!

うわーーー!!
うれしいな
おひさしぶり
です!!

元気だったか?
ずいぶん背が
おおきくなったな!

おお
孫悟空
(そんごくう)
!!

ああ

いいか
ごちそうを
食わせてくれるって
約束
わすれるんじゃ
ねえぞ

どうした孫悟空
(そんごくう)!!
ひどいケガを
しているんじゃ
ないか!?

え?

フラフラ
なんだ…

うん…
こっぴどく
やられ
ちゃって…

いよいよこの手に世界をつかむときがきたぞ!!!

さあとばせ!!国王の城のもとへ!!!

国王の息の根をとめ世界をこのわしの意のままにあやつってくれるぞ

あたらしいこの世界の国王はこのピッコロ大魔王さまだ!!!

ふははは…!!!

この世を悪にあふれたすばらしい世界に変えてみせるぞ!!!

はははは…!!!

あ…あの…
世界の王に
なられる
ピ…ピッコロ
大魔王さま…

お…
おめでとう
ございます…

と…ところで
お約束した件ですが
ど…どれほどの
世界を
このわたくしに
わけていただける
のでしょうか…

5分の1…
い…いえ
10分の1で
いいんですが…

ふふふ…
そうだったな

ピアノ
あのふたりと
操縦をかわり
ここへ
くるように
いえ

はい！

あ…あの
それで
どこを
いただける
のでしょうか？

ほっ！

ありがとう
ございます!!

ウイ…ン…

え？

もうききまらに用はない

消えろ

わかるな？

わしはじょうだんをいうタイプではない

またごじょうだんを…ははは…

おおどかさないでくださいよ…

そっそんな…!!あんなにいろいろとてつだったじゃありませんか!!そもそもあなたをこの世によみがえらせたのもこのわれわれが…!!

ひいいっ!!

それとも死をえらぶつもりか？

今すぐ消えるんだ

そんなにものすごいやつが…

……そうか

そんでカリン様にもっとオラをつよくしてもらおうとおもってきたんだ

しかしそのケガではカリン塔にはのぼれない

なんだと!?

ヤジロベーがつれていってくれる

ヤジロベーならのぼれるよ

62

なに!?

ごちそうはあのカリン塔のてっぺんにあるんだ

ばかやろー！じょうだんじゃねえなんでオレが！！

しかしたけえ塔だな

しょうがねえつれてってやるか

センズ？

へんな名前のごちそうだな…

ほんとだよ仙豆っていうんだ

ほんとか？でたらめじゃねえだろうな……！

わたしにもてつだわせてくれ

すまねえな

しっかりつかまってろよ

おちてもしらねえぞ！ぶつぶつ…

ピ…ピラフさま…ひょっとしてわれわれはサイテイなんじゃないでしょうか…

だ…だまれ！！

ピクピク…

其之百四十九
世界征服

聖地カリン…

悟空さんも
ヤジロベーさんも
がんばってね！

サンキュー！

では
ゆくぞ

だいじょうぶ
かな…

……んんん

よっ！

やった!!

ウン、、

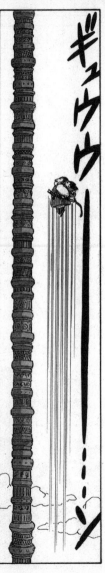

ギュウウーーーーーンッ

おら
おら
おらーっ!!!

ダダダダーッ

なんて塔だよ！
かなり
とんできたはずなのに
まだ
まだ
てっぺんが
まるきり
みえねえぞ!!

まだ　まだ

世界の王が住む
キング　キャッスル

ここが
オレさまの
城になるのか…

ふふふ…
わるくない

なんだね
キミたちは
ここは関係者しか
はいれないんだよ

なっ!!

ドッ

わしは国王だ

バキッ

魔

パンパン

きさまっ!!!

あ…
あ…！

ピッ

ドンッ

ガッシャーーーン

70

もう
ちょっとだ

うるせえっ!!
てめー なん時間も
まえから それっかり
じゃねえかよ!!

こっのやろ〜〜
このやろ〜
いいかげんに
しろよ…!

ハアッ

ハアッ

いつまで
のぼっても
ぜんぜん
てっぺんが
みえてこねえじゃ
ねえか!!

いまさら
おりる
わけにも
いかねえ
しょ!!

だまれ!!

がんばれ
ヤジロベー

ちくしょう…!
とんでもねえ
こと
ひきうけち
まったぜ…

う…
うぐぐ
…………

72

とまれ

ん？

ほう
うすらでかい
のが
でてきたな

おかしな妖術を
つかうらしいな…
おまけに銃も
きかない…

そこで
このオレの
登場になった
わけだ

バキッ
バ

ムダなことは
やめて
わしの
けらいに
ならんか

靴ぐらい
みがかせてやるぞ

ふざけやがって!!
おとなしく
降参せんと
後悔することに
なるぞ!!

降参?
どうして
このわしが
降参せにゃ
いかんのだ?

形勢が
不利なのは
きさまの
ほうじゃ
ないのか?

!!このやろう

いわせて
おけば!!!

パシッ

く‥
くっ!
‥‥‥!

ひょっとして
これが
パンチだった
のか?

お…
おうっ…!

ひっ
ひいっ!!

ごっ

だ…だれが…
おしえるか…

いま
国王と
名のっている
やつは
どこか
おしえて
もらおう

ドサッ…

ズ ゴ

ジロ…

ひいっ!!!

いえ国王の居場所を

うわーっ!!!

に…に…西の塔のい…いちばん上です…

大魔王さま!!
国王のやつ
小型艇で
にげるつもり
ですよ!!

そうは
いかんな

くくく

おっおい
孫っ!!
あれかっ!?

あれが
てっぺん
だろっ!?

ドラゴンボール

其之百五十
カリン様も なやむ

<u>おわび</u>

なさけないことに カゼを
ひいて しまいました。ネツは
なんとかさがって 頭のボ——は
なおったのですが カラダじゅう
が いたくて たまりませんのです。
うごかない手で なんとか
本篇は かきおえたんですが

→ このトビラページを
かくあたりで 力つきて
しまい。このような
手ぬきページになって
しまいました。すいません。
本篇のほうも あみぐるしい
点が あると おもいますが
おゆるしください。
来週号は バッチリだぜ!!
····だと いいけど···

とりやま

ト
····ホ
ホ

ハチミツショウガ湯
まずいが きく!

おもいがけず はやくから用意された
コタツに おおよろこびの ネコの コゲ
のんきなものである。ちなみに コゲの
ねがおを みて カリンさまの カオを
かいた。

うわわわっ!!!!

ヒュオオオ...

K41320

国王ともあろうものがにげるとはな...

きっきさまなにものだっ!!

バギッ

ひっ!!!

わたしか？

わたしはきさまにかわってあたらしく国王になるピッコロ大魔王さまだ

なっ!!!

ふざける

きさま

…………

まだこのわたしのことをよく理解していないようだな…

…………あ

…………

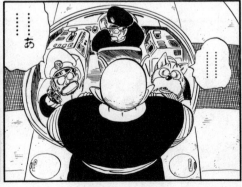

なあに　カンタンな
ことだ
さっきも　いったように
たった　いまから
このピッコロ大魔王さまが
きさまに　かわって
国王になる

きさまは　このことを
はっきりと
全世界に　発表するのだ
世はすべて
ピッコロ大魔王さまの
支配下に　入ったとな

ば…ばかな…
そんなことが
できるわけが
ないだろう…！

ふふふ…
たぶん
そうくるだろうと
おもって
すばらしいショーを
かんがえておいた

みせて
やろう…

な…
なんだ…！！
いったい
なにをする
つもりだ…！！

ぐぐぐぐ・・・・

よぉく
みておけ…
かんがえが
かわる
はずだ…

はっ!!!!

あ…
ああっ…!!

ま　街が
街が…
消しとんだ
……!!!

わかったか

この　わたしが
その気になれば
全世界を滅亡
させることすら
なんでもないことだと
いうのが…

それでも
うたがうと
いうのなら
ここから　みえる
景色を
すべて荒野に
かえてみせても
よいぞ

わ…
わかった

キ…キミの
いうとおりに
…し…しよう

…
…

ガク…

ふははは
は…

わ──っ
はっはっ
はっは
!!!

はあっ
はあっ

ど
どうだっ
ついたぞ!!

ありがとうな
ヤジロベー

ご…
悟空を
背おって
この塔を
のぼりきるとは…

こやつも
とんでもない
やつじゃな…

カリン様
ひさしぶりだ
なあ

え？
こ
こいつ…？

よう

あのさあ
オラ…

いわんでも
よい
わかっておる

え？
なにが
わかってんだ？

こっぴどく
やられたん
じゃろ？
ピッコロ
大魔王に

え！？

なんで
しってんだよ！

たいくつ
じゃからな

よく
ここから
下界の
ようすを
みておるんじゃ

え…
こんな
とこから
みえるのか！？

…で
このわしに
なんの用が
あってきた
のじゃ？

あいつわりいやつなんだ

もう一いっかい修業させてくれオラどうしてもあいつやっつけてえ！

とりあえずそのくたばったカラダをなおさんとな…

ほれくえ！

ポイ

まあまて…

あれ？

これ…って仙豆じゃねえのか？

センズ!!

なんだよセンズってこれかよ!!

てめ━こんな豆のどこがゴチソウなんだよっ!!!

こっこんな豆のためにオレはしんどいめにあったのかよ!!

あ！

さっ

ガバッ

ちっきしょう!!やっぱりだ!!てんでうまくねえぞっ!!

ポリポリ

90

あ
あ
…
…

う
お
う
〜
っ
う
〜
〜
っ
っ
!!

はは…バカだなぁ
仙豆は一粒だけで10日
食べなくても
いいぐらい
なんだぞ

ポリ
ポリ

ぶおん

おまけに
ガタガタに
なったカラダも
回復したじゃろ

ふふふ
どうじゃ

お
!?

すげー
すげーっ!!

ほんと
だっ!!!

これいじょう
おぬしに
おしえることは
ないのじゃ……

ざんねん
じゃが…

じゃあ
また
オラを
修業させて
くれるかっ!?

………

うむ…
キモチは
わかるが…
おぬしは
もうすでに
このわしすら
しのぐほどの力を
身につけてしまって
おるからのう…

なにも
ねえって!?

え!?

うむ…
くやしいじゃろうが
どうやっても
ピッコロ大魔王には
勝つことが できぬ…
あやつの強さは
ケタちがいなのじゃ

……
じゃ
じゃあ

えっ!?

かっ
亀仙人の
じいちゃんがっ!?

武天老師も

殺されおった

92

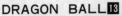

じ…じいちゃんが…そんな…

あ…あのやろう…あのやろう……‼

あのやろーっ‼

まてっ‼どうするつもりだ‼みすみす殺されにいくつもりかっ‼

やるだけやるさっ‼

じいちゃん殺されてほっとけねえよ‼

まあまて…まつんだ…

こんどこそまちがいなく死ぬぞ…

しょうがねえ！だってオラこのままジッとしてられねえもん！

『超神水』を

え⁉

……

どうせ死をも覚悟ならのんでみるか…？

次は、其之百五十一　超神水‼!

すばらしい
神の水と書く

そうじゃ

!?チョウシン水

え
!?

わからん

それのむと
強く
なるのか？

超神水は超聖水のようにインチキな水ではない

ただの水ではない

おのれのなかにかくれもっておる力をすべてひきだすことのできるすばらしい水じゃ…

じゃからもしおぬしがすでに修業によってすべての力をつかいこなしておるようじゃと超神水をのんでもなんら強くなりはせん…

ふうん…

どうかな…オラまだかくれたパワーがあるのかな…

どっちにしてもとりあえずのんでみりゃいいじゃねえか

そうだな

ところがじゃ

じつは超神水というやつはものすごい毒でのう…

すさまじいまでの体力と精神力そして生命力がなければたちまち死んでしまうのじゃよ…

その毒にうち勝ってはじめてかくれもっておる力をひきだすことができるのじゃ……

やべえな…

ど…毒か…

あんた
のんだのか？

のんだことは
あったが
すぐに
たえきれずに
吐きだして
しもうた…

じゃあよう
これまでに　いったい
なん人ぐらい　それのんで
生きのこれたんだ？

きぎたいか？
どうしても？

……

な…
なんだよ
ひょっとして
ちょっとしか
いねえのか？

これまでに
超神水を
のんだ者は
14人おった…
いずれも
ウデにおぼえのある
強者ばかりじゃった…

じゃが…
生きのこった者は
…ひとりも
おらん…

ひとりも
!?

!!

じょうだんじゃねえよ!!
生きのこったやつが
ひとりも　いねえのに
なんで　そんな
かくれた力を　ひきだす
水だって
わかるんだよ!!

そんなの
ただの
毒じゃ
ねえの
かよ!!

い…いや
ちがう
超神水は
大昔より伝えられた
たしかなものじゃ…

96

オラ飲む！

い!?

・・・・・・

てめえはバカかよっ!!そんなのはバカかよっ!!勇気があるってことにはならんのだぞっ!!アホだぜ!!自殺もんだ!!

オラ死なねえ

よ…よいのか？

わしはべつにすすめはせんぞ…

よーっくかんがえてみろよ!!生きのこる可能性はほとんど0だ!!0だぞ!!もし運よく生きのこったとしてもぜんぜん前とかわってねえかもしれねえんだぞ!!

だってよこのままじゃどっちにしたってあのピッコロってやつに勝てねえよ殺されちまうさ

だからよーバカだなおめーは…

しらんカオしてりゃいいんだよピッコロなんかにかかわりあいにならなきゃいいんだ

いやだ！クリリンは友だちだ！亀仙人のじいちゃんには世話になったんだ！カタきうたなきゃな！

うむ……
たしかに
このままでは
ピッコロ大魔王は
天下無敵じゃ……

……
スキにしな……

どうせオレは
悟空が死のうが
しったこっちゃ
ねえもんな……

世の中は
あやつの
おもいどおり
悪の手に
ひきずりこまれて
しまう……

うん！

のむ!!

……よし……

死ぬでないぞ…

……
これじゃ

トクトク…

コトン…

やめとけ！！ぜ…ぜったいに死ぬぞ…！！

よ…けいなことするなよ…こわくなっちゃうじゃねえか…

そんなながいあいだあいつをほっとけねえよ…

や…やめてもよいのだぞ…

これからなん年かさらに修業をかさねればピッコロと闘えるようになるかもしれんのだしな…

あっ！！ぐいっ

てい！！！

ゴクン

ぐおおお〜〜〜っ!!!!

は 吐きだせ!!
吐きだしちまえよ!!!

オ…オラ
死なねえぞ!!
死ぬもんか…
……ああ!!!

うああ
ああ……
!!!

はあっ!!!

バツ

はあっ はあっ
くくそっ……！
また はずれたか
……

こ……こんな
成功率では
本番で
やつを
封じこめることは
とてもムリだ…

……
武天老師さまの
二の舞いに
なってしまうぞ
…………

オレは犬死には
ゴメンだ…

どうせ魔封波を
しかけて死ぬなら
ぜったいに
成功させてみせる!!

二人の死を
ムダには
させん…!!

みてろよ

ピッコロ
大魔王…!!

はっ!!!

あ…
ああああ…

なっ
なんだよ
どうしたん
だ…!?

パ…
力じゃ…

い…いま…
悟空の
か…かくされた…
とてつもない力が
み…みえたような
気がした……

や……
やったぞ……!
か……完璧だ
……!!

カチャ

まってろよ
ピッコロ!!!

やった――――っ!!!
死ななかったぜっ
すげえぞ
てめ――――っ!!!

キョトン

みごとじゃ
みごとじゃぞ
悟空よっ!!

ち……
力だ……

力が
あふれて
いる……!

次は、其之百五十二　孫悟空 ついに発進!!!!

ど
どうなった
んだ!?

天津飯かっ!!

こちら
天津飯だ

カメ
ハウス
応答
たのむ…

そ…
そうか…

すまん
ボール集めは
失敗した…

ドラゴンボールは
ピッコロ大魔王の
手にうばわれた…

そして
やつは
神龍を
よびだし
若さを
手にいれたのだ…

…若さだと
…………

ああ……
武天老師さまと
餃子は……

阻止しようと
わが身を
はったが…
やられて…

死んだ…

えっ!?

なっ
なんだとっ
!!!

か…か…
亀仙人さまが…

し…
死んだ…

やつの強さは
常識はずれだ…
若さを
手にいれ
その強さは
さらに
とほうもないものに
なってしまった…

このまま
やつを
ほっておけば
この世は
まさに地獄と化す…

239

オレは今ピッコロをたおすためにやつの乗った飛行船をさがしている

すまんがふたりの死体をとりにきて手厚く葬ってやってくれ…場所はBFKの2235地点のあたりだ…

オレは…魔封波をじぶんのものにした

なに!!魔封波!!

まて!それほどまでに強いやつではどうしようもないだろ!!

帰ってこい!とりあえず帰ってくるんだ!!

勘ちがいするな…オレはべつに世のため人のためにやつをたおそうなどとかっこつけてるんじゃない…

武道家としてやつをしとめんと気がすまんだけさ…

お…おまえ犠牲になるつもりか…魔封波をしかけた者は死ぬんだぞ…

そうだ!!
そしてそのつぎに
また あつめて
武天老師さま
悟空やクリリンや
そして餃子たちも
生きかえらせて
もらえばいい!!

はやまることないわよっ!!

もういちどドラゴンボールをあつめてあいつをたおしてもらえばいいんだもの!!

ちょっとま ってくれ!!

なんだ?テレビがどうしたって!?

おいっおいっ!!テレビみてみろよ!!ピッコロがどうのこうのっていってるぜっ!!

え!?

なに!!!

…というわけで…わ…わたくしは…国王の座を…追われ…

こ…この世界の国王は…ピッコロ大魔王となってしまいました…無念です…

こっ こんな
やつが
王になっては
世の破滅
だ――っ!!!

だっ だれか
この
無法者を
やっつけて
くれいっ!!!

さて…と

よけいなことは
いうなと
いったはずだ

まだ
死にたくは
ないんだろ?

世の者どもよ
よーく
みておくんだな
このわたしが
きさまらの
あたらしい
国王となった
ピッコロ大魔王さまだ

わたしの力は
さきほど
みせた
破壊された街並みのようすで
じゅうぶんに
理解された
とおもう

そうか!!
キング
キャッスルに
いたのか!!!

こ…こいつが
ピッコロ大魔王

まず
わたしの
キライなコトバを
教えておいて
やろう

それは
「正義」と「平和」
だ

さて
では
さっそく
新国王の
抱負でも
きかせて
やろうか…

いっておくが
わたしは
なにも国民を
しばりつけよう
などとはけっして
かんがえては
おらん

むしろ
スキなように
自由に
ふるまえと
いっておるのだ

警察などと
いうものは
廃止する

戦争
強盗
殺人…
なんでも
だれも
とがめはせん

暴力
自由だ!

悪人どもよ!
やりたいことを
やれい!!

正義を
ふりかざす者は
わが魔族が
ことごとく
退治してやる!

かならずや
悪と恐怖に
満ちた
すばらしい世界に
なる

ふ…
ふざけや
がって…

ふ〜〜くん
いけっこう
いいことじゃ
ねいえか…

……

いままでの
オラじゃねぇ…
な…なんか
ふしぎな
かんじだ…

わかる…
わかるぞ…！

力が
いっぱい
あふれて
いるけど…
みょうに
心な中は
しずかだ…

これは
たまげた
わい

こ…こやつ
このわしにも
想像が
つかぬような
大物に
なりおった…

なんだ
なんだよ
どうしたんだ？

ほんとさ
すげえや！

ほんとかよ…
オレには
べつに
かわったようには
みえねぇ
けどな…

オラ
退治に
いってくる！！

な…なんと！
わかるのか
それが…

ピッコロ
大魔王が
あっちに
いる…

ものすげえ
妖気を
かんじる…

うん！

がんばれ！

う…む…
わしも
おぬしに
賭けて
みとう
なった

こんどは
なんとかなりそうな
気がするんだ！

116

なっ
なんだっ!?

ほんと
だっ!!
バカでけえ
筋斗雲だっ
!!

スキな
大きさに
ちぢって
のっていくが
よい

じゃ
じゃあ
オラが
亀仙人の
じいちゃんに
もらった
筋斗雲は…

うむ
その昔
わしが
あやつに
やったんじゃ

やった
ーっ!!

ありがとう!!

はっはっは
そんなに
すこしで
よいのか

じゃあ
こんだけ
もらうな!

げっ!!
くっ雲に
のっかった
!!

ボン

うはっ!!

タッ

ひゅん

そっか

じゃあな
いろいろ
ありがとう!

じょ
じょうだんじゃ
ねえ!
オレは
早死には
ゴメンだぜ…!

のせてってやるから
ヤジロベーも
いくか?

ポカーン

カリン様も
ありがとう!
オラ
きっと元気で
かえってくる
からな!

うむ
けっして
死ぬで
ないぞ!

いってくる!!

119

あの雲
はええ…!!
なんだよ

なっ!!
オレにも
くれよっ!!
筋斗雲といって
意のままに
あやつることの
できる　雲じゃよ

それにしても
悟空のやつ
あれほどの力を
秘めて
おったとはな…
勝てるかも
しれんぞ…

おまえ
にぶん
たぶん…
のれん…
え？

わたしの政策は
それだけでは
ないぞ
じつは
さらに
すばらしい
死の恐怖を
味わえるのだ…!!

次は、其之百五十三　天津飯の決意!!

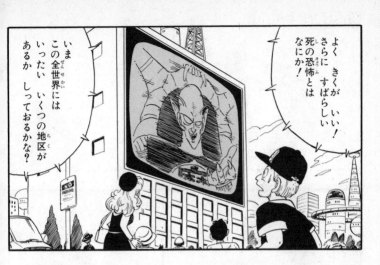

よく きくが いい！
さらに すばらしい
死の恐怖とは
なにか！

いま
この全世界には
いったい いくつの地区が
あるか
しっておるかな？

そう
４３地区だ

そこで
わたしは
１から４３
までの
数字をかいた
クジを
よういさせた…

きょう５月９日は
このピッコロさまが
王座に ついた
記念すべき日だ

そこで
毎年の
５月９日の
ピッコロ記念日に
クジを
ひくことにする…

ひいたクジの番号の地区をこの大魔王さまみずから消し去りにいってやる！

なあにこのわたしが放つ爆烈魔光砲は一瞬のできごとだ苦しむヒマもない…

な…なんてやつだ

わたしはただ人間どもの恐怖にひきつるカオをみたいだけだ！！はーっはっはっは！

このピッコロさまのやりかたが気にくわんやつはいつでもこのキングキャッスルにこい！！ミサイルを撃ちこんでもかまわんぞ！！

ただしまちがいなく早死にすることになるがな！！

…ということは運のいいやつは４３年間は生きのびるわけだ

ぐ…

よーし
では
さっそく
きょうという日を
記念して
第1回の
クジびきを
してみるかな

ざけや
がって!!!

すぐに
魔封波をくらわせて
やるぜっ!!!

さてと
……どの地区が

ゴガ
ソサ

ほう…

ここから
ちかいな

29番地区！
西の都だな

すぐに いくぞ！
せいぜい とおくまで
にげるんだな！

なんですって!!!

西の都!?
と とうさんも
かあさんも
いるのよっ!!!

ただ
ざんねんなことに
ドラゴンボールの
願いは 二度と
かなうことは ない…
ボールは
ただの石コロに
なってしまった

ああ オレも
テレビを
みていた…

事情は どうあれ
どっちにしてもオレは
魔封波を
しかける！

あなたが死んでも
かならず
ドラゴンボールを集めて
生きかえらせるからっ!!

天津飯さん
おねがいっ!!!
魔封波を
つかって!!!

ピッコロ!!!
下におりるんだ!!!
とんでもないめに
あわせてやるぜ!!!!

さっそく
命しらずの
バカが
きおったか

いるんで
すよね
ああいう
頭のわるい
やつが…

よかろう
ちょっとだけ
あそんでやるか

いい
みせしめだ
ズタズタに
ひきさいた姿を
テレビでながしてやる
国王にさからった者の
あわれな結末を…

二度と
ああいう
うっとうしいハエが
こんようにな

なるほど
くっくっく…

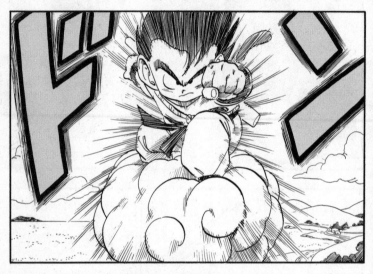

ふわっ

とっ

スー

せいぜいつかのまの天下を楽しんでおけ

ちょうしにのりやがって

きさまの城はこの電子ジャーにあいだ

くるがいいきょうはとくべつにあそんでやる

130

わ…割れている…!!!

こ…これでは封じこめることができん……!!!

しまった…!!! なんてことだなんども くりかえした魔封波のトレーニングで…

……ぐ…

どうした！いざとなったらおじけづいたか！

はやくしろ西の都が消滅されるのをまっておるのだぞ!!

いいだろう

魔封波ぬきでやってやるぜ…！

カラン…

ほう
舞空術が
つかえるのか
すこしはウデに
おぼえが
ありそうだな

しかし
その中途半端に
かじった
武道の　おかげで
命をおとすことに
なるのだ

気の
はやい
やろうだぜ

もう
勝った気で
いやがる

ちかごろのやつは
クチのききかたを
しらんな
それが国王に　いう
セリフか？

よーし
わたしの
あたらしい部下を
紹介して
やろう

ききさまなんぞ
この国王みずから
手をくだすまでも
ない

ぐ…

ぐぐ…

なんだと？

!!

かっ

どん

な……

ピ…ピシ…

なっなんだと!?

バキバキ

ケケケ

おまえの名はドラムだ

わが魔族の戦士の強さをおもいしらせてやれ！

ば…化物め…！

こっちこそてめえらにおもいしらせてやるぜ…！

DRAGON BALL

其之百五十四
天津飯の誤算

ドラムよ
のんびりと
あそんでいる
ような
ムダな時間はない
さっさと
かたづけてしまえ

ギュン!!

ちかいぞ!!

もうすぐだっ!!!

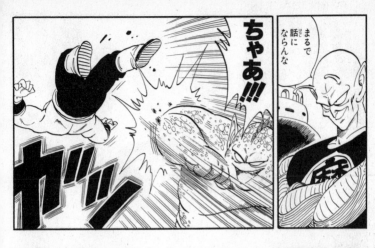

おもしれえことしてくれるじゃねえか…

…ヘッヘッヘ

バ…バカな…！しんじられんほどの強さとスピードだ…！！

し…しかもこいつはただの手下…ピッコロじゃない…！！

!!!

ドュッ

おめえはもう終わりだ！

142

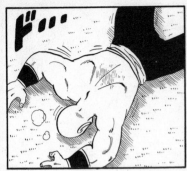

ド・・・

…か…

グググ…

が…
がはっ…

しぶとい
やつだ

心臓を
にぎりつぶして
しまえ！

はっ！

ケケケ…

かかか
かかっ！！

ち…
ちきしょう…！！

そりゃ!!!!

無念!!

ダッッ

ドンッ

な!?

き・・・
きさま
・・・・・・・・・
！！

146

そ孫悟空
……!?

まさか…!!

やっぱ天津飯だったのか!

い…生きていた!!

こいつはおどろいた…

たしかに息の根をとめたはずだったがな……

オラ運がいいんだ!

どういうことかわかるか?

若がえったのだ

おめえカオがかわったか?

あれ?

このまえきさまをコテンパンにのしたあいつがさらに圧倒的なパワーを身につけたということだ

このオレを
つきとばしておいて
タダですむわけは
ねえだろ

そうは
いくか…

にげろ
孫っ!!!

すぐに
にげるんだっ!!!

そのとおりだ

こういうバカどもは
死なねば
わからんのだ!

ケケッ!

DRAGONBALL

其之百五十五
孫悟空の逆襲

い…一撃…
たったの一撃で
どうなって
るんだ…
い…いままでの
孫じゃない…！

あ…
あれほどでの
すさまじい
破壊力は
なかったはずだ
…！

…
やってくれたな
…

死にぞこないのくせに
しょうりもなく
このピッコロに
さからうとは……

そうさ！

おめえたちを
ぶったおすまで
オラは
死ぬもんか！

よし！オレたちは天津飯の手助けにいく！！

ウーロンたちは、武天老師さまと餃子の死体をさがしてくれ！

！！オーケー

天津飯になにかあってみろ！

ただじゃすまねえからなっ！！

こういうときにランチさんはたのもしいぜ……！

ほんと

！！へっくしょい

あら！？あら〜！？

……！

きゃーーっピクニックですかぁ！？もしかして！

このピッコロ様をぶったおすだと？

ふんっ
みのほどしらずめ
まだよくわかって
おらんようだな
このまえよりも
さらに
パワーアップしたことを…

それは
こっちだって
だ!!

新国王はガキのたわごとにつきあっているヒマはないんだ

西の都がわたしの訪問をまっておるからな…

たったの5秒できさまの息の根をとめてやる!

ユビが1本ふえちゃった

しゃあっ！！！！

ガッ

DRAGON BALL 13

とっくに5秒はたったぞ

おのれい!!!

かくごはできておるだろうな!!!!

161

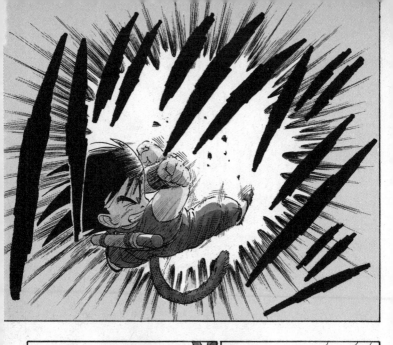

き…
きさま…

…………
いったい…

こ…こんな
バカなことが
あるはずは
ない…

き…きさま…
いったい…
なにが…

し…
しんじ
られ
ん…

ピ…
ピッコロの
技を正面から
はねかえした…

覚悟しろよ
こんどは
オラの攻撃
いくからな

このピッコロ大魔王さまに攻撃だと？

攻撃？

ガキがちょうしにのりおって！！

ほんとうのオレさまの力（パワー）をみたときがきさまの最後だっ！！！

おめえはオラのだいじなものをたくさんうばってしまった…

ぜったいにゆるせねえ

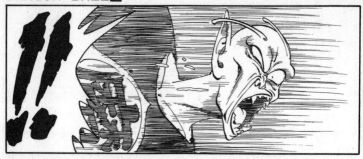

わ…!!!

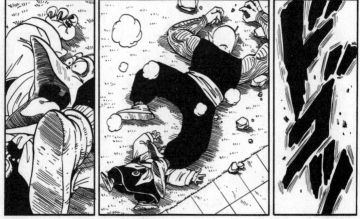

こ……このオレの目でさえ悟空の動きが……まるでみえなかった……

み……………みえなかった………！

なぜかオレまでふ……ふるえてきやがったぜ

ね……………

ぐぐ………ぐ………

……ゆ……ゆるさん……‼

172

やってくれたな…

このピッコロ大魔王のプライドをこれほどまでにキズつけたやつはおまえがはじめてだ……

わ…わらってやがる…

なぜだ…なぜだ…まだ余裕があるというのか…

おもいっきりこいよ…力を…ぜんぶだせ…

おめえのほんとうの力をみせろ

な…なんだと…!?

力をだしきっていない…!?

……

ほう…

よくわかったな…さすがだ

フルパワーで闘うとわたしの寿命がちぢまるんでな……

できればつかいたくなかったのだが…そうはいっておれんようだな…

……くっくっく

……‼

も…
ももものすごい
気だ…‼

は…‼

覚悟（かくご）は
いいだろな

たわごとを
ぬかしおって…

では
きさまも
力を
だしきって
なかったと
いうのか？

え⁉

これで
オラも
おめえを
おもいっきり
やっつけられる

そっちこそ
だ

ほざけ
！

ためして
みるか？

す…素振りでこ…この威力か…!!

さっすが

扉ページ大特集 XII

★ますますパワーアップした悟空！次回第14巻は、いよいよ悟空対ピッコロ大魔王のクライマックスだ!!――と、その前に扉ページ大特集。

（いつものように週刊少年ジャンプに載ったそのままだヨン

DRAGON BALL

ドラゴンボール

ピッコロ ついに無敵に!?

其之百四十七 若がえるか!?ピッコロ大魔王

鳥山明
BIRD STUDIO

魔

カリンで悟空を待つのは…!?

其之百四十八　カリン様に会え!!

鳥山明 BIRD STUDIO

DRAGON BALL

ドラゴンボール

〝死〟覚悟で飲む神水の味は!?

其之百五十一　超神水!!!

鳥山明
BIRD STUDIO

おかげさまで カゼは
なんとか なおりました。
手足は まだすこし だるいけど
体調は わるくないようです。
読者や関係者の みなさん
には ごめいわくを かけて
ほんとに もうしわけ ありません
でした。　　とりやま

やった！ ついに悟空復活!!

其之百五十二　　　　孫悟空　ついに発進!!!!

BIRD STUDIO

鳥山明

無敵ピッコロに挑む天津飯!!!

其之百五十三　天津飯の決意!!

鳥山明　BIRD STUDIO

■ジャンプ・コミックス

DRAGON BALL

⓭孫悟空の逆襲!?

| 1988年 6 月15日 | 第 1 刷発行 |
| 1994年 9 月15日 | 第41刷発行 |

著者　鳥　山　　　明
©BIRD STUDIO 1988

編集　ホ　ー　ム　社
東京都千代田区一ツ橋 2 丁目 5 番10号
〒101-50
電話　東京　03(3230)2406

発行人　後　藤　広　喜

発行所　株式会社　集　英　社
東京都千代田区一ツ橋 2 丁目 5 番10号
〒101-50
　　　　　　　　03(3230) 6235 (編集)
電話 東京 03(3230) 6191 (販売)
　　　　　　　　03(3230) 6076 (制作)
Printed in Japan

印刷所　株式会社　美松堂
中央精版印刷株式会社

ISBN4-08-851610-9 C9979

CITY HUNTER

シティーハンター

北条　司

全35巻
絶賛発売中

プロのスイーパー藤さんが大活躍!! もっこり